«МАЛЫШ»

Э. Успенский
Сказки про Чебурашку и крокодила Гену

«МАЛЫШ»

Кро-ко-ди́л Ге́-на
и е-го́ друзь-я́

В од-но́м боль-шо́м го́-ро-де жил кро-ко-ди́л по и́-ме-ни Ге́-на. Ка́ж-до-е у́т-ро он про-сы-па́л-ся, у-мы-ва́л-ся, за́в-тра-кал и шёл на ра-бо́-ту в зо-о-па́рк. Ра-бо́-тал он в зо-о-па́р-ке кро-ко-ди́-лом. На е-го́ кле́т-ке бы́-ло на-пи́-са-но:

АФ-РИ-КА́Н-СКИЙ КРО-КО-ДИ́Л ГЕ́-НА. ВО́З-РАСТ ПЯТЬ-ДЕ-СЯ́Т ЛЕТ. КОР-МИ́ТЬ И ГЛА́-ДИТЬ РАЗ-РЕ-ША́-ЕТ-СЯ.

А в гус-ты́х джу́нг-лях А́ф-ри-ки жил не-из-ве́ст-ный на-у́-ке зверь Че-бу-ра́ш-ка.

Од-на́ж-ды он шёл по А́ф-ри-ке и у-ви́-дел я́-щик с а-пель-си́-на-ми. Че-бу-ра́ш-ка съел сна-ча́-ла о-ди́н а-пель-си́н, а по-то́м так объ-е́л-ся, что за-сну́л пря́-мо в я́-щи-ке. А я́-щик за-ко-ло-ти́-ли и на ко-раб-ле́ при-вез-ли́ в боль-шо́й го́-род.

Од-на́ж-ды кро-ко-ди́л Ге́-на дал объ-яв-ле́-ни-е, что хо́-чет най-ти́ се-бе́ дру́-га. К не-му́ по объ-яв-ле́-ни-ю при-шёл Че-бу-ра́ш-ка — не-из-ве́ст-ный на-у́-ке зверь. А по-то́м при-шли́ лев Чандр, жи-ра́-фа А-ню́-та, из-ве́ст-ный во всём го́-ро-де дво́-еч-ник Ди́-ма, о-безь-я́н-ка Ма-ри́-я Фра́н-цев-на и прак-ти́-чес-ки кру́г-ла-я от-ли́ч-ни-ца Ма-ру́-ся.

— Ой, — ска-за́л Ге́-на. — Мой дом не вы́-дер-жит та-ко́-го ко-ли́-чест-ва дру-зе́й.

И то-гда́ зве́-ри и де́-ти ре-ши́-ли по-стро́-ить Дом дру́ж-бы, в ко-то́-рый ка́ж-дый смо́-жет прий-ти́ и по-до-бра́ть се-бе́ дру́-га. Жи-ра́-фа

ста́-ла ра-бо́-тать подъ-ём-ным кра́-ном, Че-бу-ра́ш-ка — за-го-то-ви́-те-лем строй-ма-те-ри-а́-лов, а все ос-таль-ны́-е сде́-ла-лись стро-и́-те-ля-ми.

Ско́-ро Дом дру́ж-бы был го-то́в. Ге́-на до-ста́л спе-ци-а́ль-ну-ю кни́-гу и ска-за́л:

— За-пи́-сы-вай-тесь все, ко-му́ нуж-ны́ друзь-я́.

Но друзь-я́ у-же́ ни-ко-му́ не́ бы-ли нуж-ны́. Все, кто стро́-ил дом, у-же́ дав-но́ пе-ре-дру-жи́-лись.

В гос-тя́х у Че-бу-ра́ш-ки

Как вы зна́-е-те, Че-бу-ра́ш-ка жил в те-ле-фо́н-ной бу́д-ке. И о-бы́ч-но он хо-ди́л в го́с-ти к

кро-ко-ди́-лу Ге́-не, по-то-му́ что у
не-го́ до́-ма бы́-ло сли́ш-ком те́с-но.
О-ни́ пи́-ли чай с кон-фе́-та-ми и
смо-тре́-ли мульт-фи́ль-мы по те-
ле-ви́-зо-ру.

Но од-на́ж-ды Че-бу-ра́ш-ка сам по-зво-ни́л Ге́-не.

Он ска-за́л:

— При-хо-ди́, Ге́-на, пить чай ко мне. То́ль-ко ча́й-ни-ка у ме-ня́ нет, — пре-ду-пре-ди́л Че-бу-ра́ш-ка.

— Хо-ро-шо́, я при-не-су́ свой.

— Ге́-на, а у ме-ня́ и пли́т-ки нет.

Ско́-ро Ге́-на вы́-шел из до́-ма, на-гру́-жен-ный ча́й-ни-ком и пли́т-кой. И по-шёл.

И тут за-зво-ни́л е-го́ со́-то-вый

те-ле-фо́н — ведь Ге́-на дав-но́ у-же́ был не про́с-то Ге́-ной, а за-

ве́-ду-ю-щим па́н-цир-ным от-де́-лом в зо-о-па́р-ке.

— Ге́-на, у ме-ня́ и кон-фе́т нет, и ча́-я, — со-об-щи́л Че-бу-ра́ш-ка.

При-шло́сь Ге́-не зай-ти́ в ма-га-зи́н за кон-фе́-та-ми и ча́-ем.

Ко-гда́ друзь-я́ по-пи́-ли ча́-ю у Че-бу-ра́ш-ки, Ге́-на ска-за́л:

— Че-бу-ра́ш-ка! Е́с-ли е-щё ко-гда́–ни-бу́дь за-хо́-чешь у-го-сти́ть

ме-ня́ ча́-ем, при-хо-ди́ пря́-мо ко мне. У ме-ня́ всё есть — и чай, и са́-хар, и пли́т-ка.

Ле-та́-ю-щий Ге́-на

Од-на́ж-ды Ге́-на и Че-бу-ра́ш-ка от-ды-ха́-ли у ре-ки́. О-ни́ мно́-го ку-па́-лись и за-го-ра́-ли.

Ря́-дом ре-бя́-та ве-ло-си-пе́д-ным на-со́-сом на-ка́-чи-ва-ли ре-зи́-но-ву-ю ло́д-ку.

Ло́д-ка у-же́ хо-ро-шо́ пру-жи́-ни-ла, а ре-бя́-там ста-но-ви́-лось всё труд-не́-е и труд-не́-е.

— Ген, — ска-за́л Че-бу-ра́ш-ка, — возь-ми́ на-со́с, по-мо-ги́ ре-бя́-там.

— За-че́м мне на-со́с? — от-ве́-
тил Ге́-на. — Я и ртом на-ду́-ю.
Но всё вы́-шло по—дру-го́-му.

Не Ге́-на на-ду́л ло́д-ку, а ло́д-ка на-ду́-ла Ге́-ну!

Он стал кру́г-лый, то́ч-но шар.

Ко-гда́ Ге́-на рас-кры́л пасть, он на́-чал со сви́с-том ле-та́ть над пля́-жем. Точь–в–точь как ша́-рик, из ко-то́-ро-го вы́-пу-сти-ли во́з-дух!

— Всё. Те-пе́рь я стал ум-не́-е, — ска-за́л, от-ды-ша́в-шись, Ге́-на. — Да-ва́й-те сю-да́ ваш ве-ло-си-пе́д-ный на-со́с.

Че-бу-ра́ш-ка и Змей-чик

Од-на́ж-ды Че-бу-ра́ш-ка шёл по ле́-су и за-ме́-тил на зем-ле́, на мо-хо-во́й ко́ч-ке, яй-цо́.

Он не знал, что э́-то яй-цо́ о́-чень у-жа́-лис-той зме-и́.

Че-бу-ра́ш-ка по́д-нял яй-цо́, за-ле́з на де́-ре-во и по-ло-жи́л е-го́ в дуп-ло́.

А там бы́-ло гнез-до́ во-робь-и́-
ных сы́-чи-ков, ко-то́-ры-е жда́-ли
по-то́м-ство.

И вот на́-ча-ли вы-лу-пля́ть-ся пте́н-чи-ки–сы-ча́-та.

Вы́-лу-пил-ся и Зме́й-чик.

Од-на́ ку-ни́-ца за-хо-те́-ла птен-чи-ков съесть.

О-на́ су́-ну-ла ла́-пу в дуп-ло́.

А Змей-чик как у-хва́-тит е-ё за ко́-готь!

Ку-ни́-ца ла́-пу вы́-дер-ну-ла вмес-

те со Зме́й-чи-ком, и он сра́-зу на мох, к ма́-ме, у-па́л.

О́-бе ма́-мы — Зме́й-чи-ка и сы́-чи-ков — до́л-го бла-го-да-ри́-ли Че-бу-ра́ш-ку.

Про-ка́-зы Ша-по-кля́к

Од-на́ж-ды Че-бу-ра́ш-ка и Ге́-на гу-ля́-ли. Вдруг из–за́ за-бо́-ра вы́-ле-тел мя́-чик на ре-зи́-ноч-ке,

сту́к-нул Че-бу-ра́ш-ку по го-ло-ве́ и у-ле-те́л об-ра́т-но.

— Ой! Что э́-то? — ска-за́л Че-бу-ра́ш-ка и стал о-сма́-три-вать-ся по сто-ро-на́м.

В э́-то вре́-мя мя́-чик из—за́ за-
бо́-ра вы́-ле-тел сно́-ва.

И на э́-тот раз по-па́л в кро-ко-
ди́-ла Ге́-ну.

— Я зна́-ю, кто в нас ки-да́-ет-

ся, — ска-за́л Че-бу-ра́ш-ка. — Э́-то ста-ру́-ха Ша-по-кля́к. Ви́-дишь, на стол-бе́ кры́-са Ла-ри́с-ка си-ди́т?

Ста-ру́-ха ки́-ну-ла мя́-чик в тре́-

тий раз. Ге́-на ло́в-ко из-вер-ну́л-ся и пой-ма́л е-го́ зу-ба́-ми.

Он стал от-хо-ди́ть всё да́ль-ше

и да́ль-ше, а ре-зи́н-ка на-тя́-ги-ва-
лась всё силь-не́-е и силь-не́-е.

И ко-гда́ Ша-по-кля́к на-ко-не́ц
вы́-су-ну-лась из–за́ за-бо́-ра, Ге́-на
раз-жа́л зу́-бы.

Мяч по-па́л Ша-по-кля́к пря́-мо в
лоб. О-на́ так и шлёп-ну-лась с за-
бо́-ра!

— Ка-ра-у́л! Ху-ли-га́-ны! — за-

кри-ча́-ла ста-ру́-ха. — Я сей-ча́с сдам вас в ми-ли́-ци-ю!

Но чем бли́-же о-на́ под-бе-га́-ла к ми-ли-ци-о-не́-ру, тем бо́ль-ше о-сты-ва́-ла.

А ко-гда́ под-бе-жа́-ла сов-се́м
бли́з-ко, то то́ль-ко спро-си́-ла:
— Ми-ли-ци-о-не́р–ми-ли-ци-о-не́р,
ко-то́-рый час?

Гри-бы́ для Че-бу-ра́ш-ки

Ге́-на и Че-бу-ра́ш-ка со-би-ра́-ли гри-бы́. Но у них пло́-хо по-лу-ча́-лось. Всё вре́-мя по-па-да́-лись му-хо-мо́-ры.

— А да-ва́й на-у́-чим со-ба́-ку То́-би-ка на-хо-ди́ть гри-бы́ по за́-па-ху! — пред-ло-жи́л Че-бу-ра́ш-ка.

О-ни́ при-ве-ли́ То́-би-ка до-мо́й, да́-ли е-му́ по-ню́-хать бе́-лый гриб и ска-за́-ли:

— И-щи́!

А са-ми раз-ло-жи́-ли по ра́з-ным мес-та́м мно́-го су-шё-ных бе́-лых гри-бо́в. Ко-гда́ То́-бик на-хо-ди́л спря́-тан-ный в сто-ле́ и́-ли на по́л-ке гриб, он го-во-ри́л:

— Гав!

Те-пе́рь мо́ж-но бы́-ло про-во-
ди́ть по-ле-вы́-е ис-пы-та́-ни-я. Ге́-
на с Че-бу-ра́ш-кой вы́-ве-ли То́-би-
ка в лес и ско-ма́н-до-ва-ли:

— И-щи́!

То́-бик бы́ст-ро ку-да́–то по-бе-жа́л. Ге́-на и Че-бу-ра́ш-ка бро́-си-лись за ним.

— Сей-ча́с он най-дёт нам це́-лу-ю гриб-ну́-ю по-ля́-ну! — кри́к-нул на бе-гу́ Че-бу-ра́ш-ка.

А То́-бик до-гна́л ста́-ру-ю ба́-буш-ку.

О-на́ не-сла́ кор-зи́-ну, по́л-ну-ю гри-бо́в.

То́-бик ска-за́л:

— Гав! Гав!

Че-бу-ра́ш-ка ска-за́л:

— Да-ва́й, Ге́-на, бу́-дем со-би-ра́ть гри-бы́, как все — без со-ба́-ки. И о-ни́ на-шли́ в тот день мно́-го

бе́-лых гри-бо́в — це́-лых два. За-
то́ са́-ми.

И да́-же То́-би-ка у-го-сти́-ли
гриб-ны́м су́-пом.

Ша-по-кля́к
не у-ни-ма́-ет-ся

Од-на́ж-ды во вто́р-ник кро-ко-ди́л Ге́-на у-ви́-дел на до-ро́-ге ко-ше-лёк и на-сту-пи́л на не-го́ но-го́й.

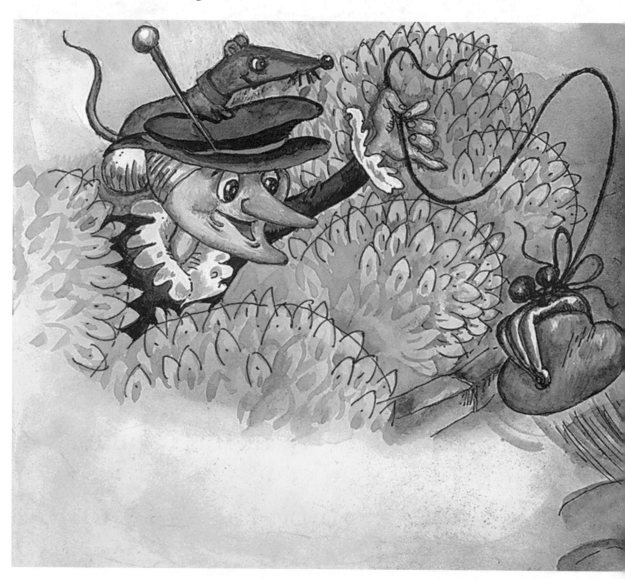

А ко-ше-лёк под-бро́-си-ла ста-ру́-ха Ша-по-кля́к. И о-на́ так си́ль-но дёр-ну-ла за ве-рёв-ку, что Ге́-на да́-же шлёп-нул-ся.

Ге́-на знал, что зло-вре́д-на-я Ша-по-кля́к не о-ста-но́-вит-ся.

Ведь о-на́ о-бо-жа́-ла об-ли-ва́ть про-хо́-жих из ок-на́ во-до́й.

Пу-га́ть   по   но-ча́м   де́-ду-шек,
стре-ля́-я   из   пу-га-ча́.

И во-об-ще́ лю-би́-ла ху-ли-га́-нить.

И о-на́ сно́-ва под-бро́-си-ла кро-ко-ди́-лу ко-ше-лёк. Сер-ди́-тый Ге́-

на так шáрк-нул но-гóй, что Ша-по-кля́к са-мá вы́-ле-те-ла из кус-тóв!

— У-ва-жá-е-ма-я! — ска-зáл ста-рý-хе Гé-на. — Да-вáй-те лý-ч-ше

у-стро́-им со-ре-вно-ва́-ни-е по пе-
ре-тя́-ги-ва-ни-ю ка-на́-та!

В со-стя-за́-ни-и по-бе-ди́-ли Ге́-

на с Че-бу-ра́ш-кой. О-ни́ бы́-ли бо́-
ле-е спор-ти́в-ны-ми, чем Ла-ри́с-ка
и Ша-по-кля́к.

Че-бу-ра́ш-ка—лы́ж-ник

При-шла́ зи-ма́. Сне́-га на-сы́-па-ло по са́-мы-е кры́-ши. Од-на́ж-ды Че-бу-ра́ш-ка ска-за́л Ге́-не:

— Да-ва́й ку́-пим лы́-жи! И на-у́-чим-ся ка-та́ть-ся!

В пе́р-ву-ю же Ге́-ни-ну и Че-бу-ра́ш-ки-ну зар-пла́-ту о-ни́ ку-пи́-ли лы́-жи с па́л-ка-ми. И от-пра́-ви-лись в бли-жа́й-ши-е сне́ж-ны-е го́-ры.

У кро-ко-ди́-ла Ге́-ны ка-та́-ни-е на-ла́-ди-лось сра́-зу. По-то-му́ что е-му́ о́-чень по-мо-га́л хвост. Он был как тре́ть-я лы́-жа. Ге́-на ли́-хо съез-жа́л с лю-бо́й го-ры́, да́-же с са́-мой кру-то́й.

А Че-бу-ра́ш-ка с лю-бо́й го-ры́ ка-ти́л-ся ку́-ба-рем, да́-же с са́-мой ма́-лень-кой.

По-то́м Че-бу-ра́ш-ка пол-ча-са́ со-би-ра́л па́л-ки, лы́-жи, ва́-реж-ки и ша́п-ку.

— Нет. Не нра́-вит-ся мне та-ко́-е ка-та́-ни-е! — ска-за́л он. — Пой-ду́–ка я до-мо́й су-ши́ть-ся.

Ко-гда́ Че-бу-ра́ш-ка про-со́х, Ге́-на ска-за́л:

— Я при-ду́-мал, как мы бу́-дем е́з-дить. Э́-то бу́-дет блес-тя́-ще!

И пра́в-да — он всё здо́-ро-во при-ду́-мал! Че-бу-ра́ш-ка со сво-и́-ми лы́-жа-ми са-ди́л-ся Ге́-не на хвост, и те-пе́рь о-ни́ ве́-се-ло не-сли́сь вниз вдво-ём. Да́-же с са́-мой кру-то́й го-ры́. И Че-бу-ра́ш-ке у-же́ не на́-до бы́-ло су-ши́ть-ся.

А ве́-че-ром Че-бу-ра́ш-ка ска-за́л:

— Всё. Хва́-тит про́-сто ка-та́ть-ся. Пе-ре-хо́-дим в боль-шо́й спорт. Бу́-дем за-ни-ма́ть-ся сла́-ло-мом!

— Бу́-дем! — со-гла-си́л-ся сго-во́р-чи-вый Ге́-на.

Скво-ре́ч-ник
для ба́-боч-ки

При-бли-жа́-лась   вес-на́.   Од-на́
пти́ч-ка   у-же́   при-ле-те́-ла.   Ге́-на

и Че-бу-ра́ш-ка ре-ши́-ли сде́-лать скво-ре́ч-ни-ки. О-ни́ до-ста́-ли пи-лу́, до́с-ки, гво́з-ди и при-ня-ли́сь за де́-ло.

У Ге́-ны скво-ре́ч-ник по-лу-чи́л-ся боль-шо́й и тя-жё-лый.

Че-бу-ра́ш-ка по-пы-та́л-ся е-го́ под-ня́ть, но у-па́л вме́с-те со скво-ре́ч-ни-ком.

— Ни-че-го́, — ска-за́л Ге́-на, — пусть то-гда́ э́-то бу́-дет скво-ре́ч-ник для со-ба́к! Мно́-го без-до́м-ных со-ба́-чек бе́-га-ет, а скво-ре́ч-ни-ков для них нет.

А у Че-бу-ра́ш-ки, на-о-бо-ро́т, скво-ре́ч-ник по-лу-чи́л-ся сов-се́м ма́-лень-кий. Та-ко́й ма́-лень-кий, что

са́-мый ма́-лень-кий скво-ре́ц ту-да́ за-бра́ть-ся бы не смог.

— Ну и ни-че-го́, — ска-за́л

Че-бу-ра́ш-ка. — Пусть э́-то бу́-дет скво-ре́ч-ник для ба́-бо-чек. Мно́-го

без-до́м-ных ба́-бо-чек ле-та́-ет, а скво-ре́ч-ни-ков для них нет.

Но-во-се́ль-е
Че-бу-ра́ш-ки

Как вы по́м-ни-те, ре-бя́-та, Че-бу-ра́ш-ка ра-бо́-тал в де́т-ском са-ду́ иг-ру́ш-кой, а жил в те-ле-фо́н-ной бу́д-ке.

Ра-бо́-та у Че-бу-ра́ш-ки бы-ла́ не са́-хар. Ре-бя́-та в де́т-ском са-ду́ тас-ка́-ли е-го́ на ру-ка́х, ка-та́-ли на ко-ля́с-ке, за-ку́-ты-ва-ли е-го́. Да-ва́-ли е-му́ ле-ка́рст-ва:

— Ой, наш Че-бу-ра́ш-ка сов-се́м за-бо-ле́л! Вон как у не-го́ у́-ши рас-пу́х-ли! Да-ва́й-те е-го́ сро́ч-но ле-чи́ть!

И-но-гда́ Че-бу-ра́ш-ку ку-па́-ли по-на-ро́ш-ку. Но во́-ду на-ли-ва́-ли на-сто-я́-щу-ю.

— Ой, — кри-ча́-ли де́-ти, — бе́д-ный Че-бу-ра́ш-ка сов-се́м про-мо́к! Да-ва́й-те бу́-дем е-го́ вы-жи-ма́ть!

— Да-ва́й-те не бу́-дем! — го-во-ри́-ла вос-пи-та́-тель-ни-ца и до́л-го–до́л-го су-ши́-ла Че-бу-ра́ш-ку на ба-та-ре́-е.

Те-ле-фо́н-на-я бу́д-ка Че-бу-ра́ш-ки вы-хо-ди́-ла на у́-ли-цу, и шум гру-зо-ви-ко́в и трол-ле́й-бу-сов пло́-хо ус-по-ка́-и-вал Че-бу-ра́ш-ку, о-со́-бен-но по но-ча́м. По-э́-то-му Че-бу-ра́ш-ка ча́с-то спал на ра-бо́-те.

И вот о-ни́ вме́с-те с кро-ко-ди́-лом Ге́-ной на-пи-са́-ли письмо́ мэ́-ру го-ро́-да Друж-ко́-ву:

«У-ва-жа́-е-мый мэр!

Я — Че-бу-ра́ш-ка. Ра-бо́-та-ю иг-ру́ш-кой в де́т-ском са-ду́ номер во́-семь. Жи-ву́ в те-ле-фо́н-ной бу́д-ке. За-ни-ма́-ю жи-лу́-ю пло́-щадь раз-ме́-ром в по-ло-ви́-ну ме́т-ра. Про-шу́ у-ве-ли́-чить пло́-щадь. Хо-чу́ по-лу-чи́ть квар-ти́-ру».

О-ни́ от-нес-ли́ пись-мо́ в Мос-со-ве́т и от-да́-ли стро́-гой тё-те на та-бу-ре́т-ке у вхо́-да с дву-мя́ па́-ра-ми оч-ко́в и пис-то-ле́-том на бо-ку́. Тё-тень-ка про-чи-та́-ла пись-мо́ и ска-за́-ла:

— Ну что же, бу́-дем рас-сма́-три-вать. Сей-ча́с все хо-тя́т по-лу-чи́ть квар-ти́-ру. Лю́-ди бук-ва́ль-но ни о чём не ду́-ма-ют! А та-ко́й пло́-ща-ди — пол-ме́т-ра — не бы-ва́-ет. Мы при-шлём ко-ми́с-си-ю.

Ко-гда́ о-ни́ вы́-шли из Мос-со-ве́-та, Че-бу-ра́ш-ка ска-за́л:

— Ге́-на, я э́-ту тё-тень-ку уз-на́л.
Э́-то ста-ру́-ха Ша-по-кля́к. О-на́ не
бу́-дет нам по-мо-га́ть.

Че́-рез не́-сколь-ко дней к Че-бу-
ра́ш-ке при-шла́ ко-ми́с-си-я. Э́-то
был о-ди́н то́лс-тый дя́-дя в га́лс-
ту-ке, с порт-фе́-лем. Он спро-си́л:

— Вам ка-ка́-я квар-ти́-ра нуж-на́ — хо-ро́-ша-я и́-ли пло-ха́-я?

— Хо-ро́-ша-я, — ска-за́л Че-бу-ра́ш-ка.

— Жаль, — ска-за́л дя́-дя. — А да-ва́й-те мы в ва́-шей бу́д-ке сде́-ла-ем вто-ро́й э-та́ж. Мы сра́-зу у-дво́-им ва́-шу пло́-щадь. И́-ли по-ло́-жим е-ё на́-бок.

— Нет, — твёр-до от-ка-за́л-ся Че-бу-ра́ш-ка.

Про-шёл ме́-сяц, ни-кто́ Че-бу-ра́ш-ке квар-ти́-ру не да-ва́л. То-гда́ кро-ко-ди́л Ге́-на ре-ши́л ус-тро́-ить пи-ке́т у Мос-со-ве́-та.

Все при-шли́: лев Чандр, жи-ра́-фа А-ню́-та, о-безь-я́н-ка Ма-ри́-я Фра́н-цев-на и да́-же со-ба́-ка То́-бик с пла-ка́-том: «Мы за Че-бу-ра́ш-ку!» Ре-бя́-та из де́т-ско-го са́-да, где ра-бо́-тал Че-бу-ра́ш-ка, кри-ча́-ли:

— Че-бу-ра́ш-ке — жиль-ё! Че-бу-ра́ш-ке — жиль-ё!

При-е́-хал мэр го́-ро-да Друж-ко́в под о-хра́-ной ста-ру́-хи Ша-по-кля́к. Ста-ру́-ха пы-та́-лась от-тес-ни́ть на-ро́д, но Друж-ко́в про-чи-та́л пла-ка́т и ска-за́л:

— Зав-хо́-за Жу-ли-ма́-но-ва ко мне!

При-шёл дя́-дя с порт-фе́-лем, ко-то́-рый был ко-ми́с-си-ей. И мэр при-ка-за́л е-му́:

— Не-ме́д-лен-но вы́-де-лить Че-бу-ра́ш-ке по-сле́д-ню-ю по-стро́-ен-ну-ю квар-ти́-ру!

— Но о-на́ у-же́ вы́-де-ле-на вы-со-ко-по-ро́-дис-той со-ба́-ке Бо́-би-

ку от-ве́тст-вен-но-го то-ва́-ри-ща Ша́-ри-ко-ва.

— Вот и пе-ре-да́й-те е-ё Че-бу-ра́ш-ке. А по-ро́-дис-тый Бо́-бик пусть жи-вёт в те-ле-фо́н-ной бу́д-ке.

И че́-рез не-де́-лю Че-бу-ра́ш-ка по-лу-чи́л но́-ву-ю квар-ти́-ру. На но-во-се́ль-е при-шли́ все, кто был в пи-ке́-те. И Чандр, и А-ню́-та, и кро-ко-ди́л Ге́-на. И ка́ж-дый что́–то при-нёс Че-бу-ра́ш-ке в по-да́-рок.

Кро-ко-ди́л Ге́-на и-дёт в а́р-ми-ю

Од-на́ж-ды кро-ко-ди́-лу Ге́-не при-шло́ пись-мо́ с по-ве́ст-кой:

«Пред-ла-га́-ет-ся Вам я-ви́ть-ся в рай-во-ен-ко-ма́т в во́-семь ча-со́в ут-ра́ с кру́ж-кой, ло́ж-кой и двух-дне́в-ным за-па́-сом е-ды́. Вы при-зы-ва́-е-тесь в ря-ды́ дейст-ву-ю-щей а́р-ми-и. Позд-рав-ля́-ю. Ко-мис-са́р Вин-то́в-кин».

Ге́-на до-го-во-ри́л-ся, что Че-бу-ра́ш-ка бу́-дет по-ли-ва́ть е-го́ цве-ты́ и кор-ми́ть ры́-бок на ок-не́. Взял кру́ж-ку и ло́ж-ку и вме́с-те с Че-бу-ра́ш-кой по-шёл на при-зыв-но́й пункт.

Ко-мис-са́р Вин-то́в-кин по-смот-ре́л на не-го́ и ска-за́л:

— Ой! Ка-ко́й–то вы зе-лё-ный и пло́с-кий. И чем–то не-у-ло-ви́-мо на кро-ко-ди́-ла по-хо́-жи.

— А я и есть кро-ко-ди́л.

— Ни-че-го́, — у-спо-ко́-ил е-го́ ко-мис-са́р. — Не от-ча́-и-вай-тесь. У нас и не та-ки́-е слу́-жат.

Ге́-на был про́с-то за-ме-ча́-тель-ным мо-ло-ды́м бой-цо́м. Он бро-са́л гра-на́-ту на пол-ки-ло-ме́т-

ра. В ру-ко-па́ш-ной схва́т-ке хвос-
то́м клал на зе́м-лю пя-те-ры́х про-
ти́в-ни-ков сра́-зу. Сме́-ло пры́-гал
с па-ра-шю́-та и от-ли́ч-но мас-ки-
ро-ва́л-ся.

— Нам бы сто ты́-сяч та-ки́х бой-
цо́в, — ска-за́л пол-ко́в-ник Си-
во-ло́ц-кий, из-ве́ст-ный де-са́нт-

ник. — Нам то-гда́ ни-ка-ко́й враг не стра́-шен.

Ко-гда́ мо-ло-ды́е бой-цы́ тор-же́ст-вен-но при-ни-ма́-ли во-е́н-ну-ю при-ся́-гу, ко всем при-е́-ха-ли ро-ди́-те-ли. А к кро-ко-ди́-лу Ге́-не при-е́-хал Че-бу-ра́ш-ка.

— Вы во-спи-та́-ли хо-ро́-ше-го бой-ца́, — ска-за́л пол-ко́в-ник Си-во-ло́ц-кий Че-бу-ра́ш-ке.

Хо-тя́ всё бы́-ло на-о-бо-ро́т. Э́-то кро-ко-ди́л Ге́-на во-спи-та́л хо-ро́-ше-го Че-бу-ра́ш-ку.

И Ге́-ну пе-ре-ве-ли́ в на-сто-я́-щу-ю мор-ску́-ю де-са́нт-ну-ю часть. Ге́-на стал слу-жи́ть на по-гра-ни́ч-ной за-ста́-ве на ско-рост-но́м ка́-те-ре.

Кру-го́м бы́-ло мо́-ре и го́-ры. Ге́-на был впе-рёд-смо-тря́-щим.

А в на́-ши во́-ды по-сто-я́н-но за-хо-ди́-ла быст-ро-хо́д-на-я ры-бо-ло́в-на-я шху́-на и во-ров-ски́ ло-ви́-ла на́-шу ры́-бу. На́-ши по-гра-ни́ч-ни-ки бро-са́-лись в по-го́-ню за э́-той шху́-ной, но о-на́ сра́-зу у-бе-га́-ла в ней-тра́ль-ны-е во́-ды. И и-но-стра́н-ны-е ры-ба-ки́ по-ка́-зы-ва-ли на́-шим по-гра-ни́ч-ни-кам всей ко-ма́н-дой я-зы́к. Мол, об-ма-ну́-ли ду-ра-ка́ на че-ты́-ре ку-ла-ка́! И всё по-то-му́, что у них был мо́щ-ный мо-то́р.

Ка-пи-та́н по-гра-ни́ч-но-го ка́-те-ра Дми́т-рий Ко-ва-ле́в-ский (э́-то ко-ман-ди́р Дми́т-рий Ко-ва-ле́в-ский, а ка́-тер был «Стре-ми́-тель-ный») у-же́ от-ча́-ял-ся. Но од-на́ж-ды к не-му́ об-ра-ти́л-ся кро-ко-ди́л Ге́-на:

— Раз-ре-ши́-те мне за-дер-жа́ть э́-ту шху́-ну!

— Что вам для э́-то-го ну́ж-но — пу́ш-ки, пу-ле-мё-ты, гра-на́-ты?

— Ла́с-ты, — скро́м-но от-ве́-тил Ге́-на. — И ра-ке́т-ни-ца. Как то́ль-ко я вы́-пу-щу ра-ке́-ту, ле-ти́-те впе-рёд и сме́-ло бе-ри́-те шху́-ну го́-лы-ми ру-ка́-ми.

Как то́ль-ко и-но-стра́н-ная шху-на в о-че-ред-но́й раз за-плы-ла́ в на́-ши во́-ды, Ге́-на на-де́л ла́с-ты и сме́-ло ныр-ну́л. Все за́-мер-ли. Про-шла́ ми-ну́-та, дру-га́-я — и ввысь пря́-мо из мо́-ря взле-те́-ла кра́с-на-я ра-ке́-та.

Рос-си́й-ский ка́-тер бро́-сил-ся в по-го́-ню.

Как ни стра́н-но, пи-ра́т-ска-я шху́-на топ-та́-лась на ме́с-те и ни-ку-да́ не у-хо-ди́-ла. Е-ё бы́ст-ро до-гна́-ли. На-ко-не́ц–то о-на́ бы-ла́ схва́-че-на с по-ли́ч-ным!

— У-ра́! — кри-ча́-ли на́-ши мо-ря-ки́.

И ни-кто́ им не по-ка́-зы-вал я-зы́к.

— Во-ен-но-слу́-жа-щий Ге́-на, как вам у-да-ло́сь за-дер-жа́ть э́-ту шху́-ну? — спро-си́л у Ге́-ны на-ча́ль-ник все-го́ фло́-та, ко-гда́ на-граж-да́л е-го́ ме-да́ль-ю «За от-ва́-гу, сме́-лость, ге-ро-и́зм и ны-ря́-тель-ность».

— О́-чень про́с-то, — от-ве́-тил Ге́-на. — Я под во-до́й по-гну́л у них руль.

Э-то бы-ла́ пе́р-ва-я ме-да́ль, ко-то́-ру-ю по-лу-чи́л Ге́-на за вре́-мя сво-е́й слу́ж-бы на фло́-те. О дру-ги́х ме-да́-лях мы рас-ска́-жем в сле́-ду-ю-щий раз.

СО-ДЕР-ЖА́-НИ-Е

УДК 372.3./4
ББК 74.102
У77

0+

Серия «Читаю сам по слогам»
Для дошкольного возраста
Развивающее издание для подготовки к школе

Эдуард Николаевич Успенский
СКАЗКИ ПРО ЧЕБУРАШКУ И КРОКОДИЛА ГЕНУ
Сказочные истории

Коллектив художников

Дизайн обложки *Т. Барковой*

Редактор *М. Парнякова*. Художественный редактор *Н. Федорова*
Технический редактор *Е. Кудиярова*. Корректор *Р. Низяева*
Компьютерная вёрстка *Н. Сидорской*

Общероссийский классификатор продукции ОК-005-93, том 2; 953000 — книги, брошюры
Подписано в печать 13.12.2016. Формат 84×108^1/₁₆
Печать офсетная. Бумага офсетная. Гарнитура Pragmatica
Усл.печ.л. 10,08. Доп. тираж 3000 экз. Заказ № м3962.

ООО «Издательство АСТ»
129085, г. Москва, Звёздный бульвар, д. 21, стр. 3, ком. 5
Наш электронный адрес: malysh@ast.ru. Home page: www.ast.ru

Мы в социальных сетях. Присоединяйтесь!
https://www.facebook.com/IzdatelstvoMalysh, https://www.facebook.com/avantabooks
http://vk.com/izdatelstvo_malysh, http://vk.com/avanta_books
https://instagram.com/malysh_books

«Баспа Аста» деген ООО
129085, г. Мәскеу, жұлдызды гүлзар, д. 21, 3 құрылым, 5 бөлме
Біздің электрондық мекенжайымыз: www.ast.ru. E-mail: malysh@ast.ru

Қазақстан Республикасында дистрибьютор және өнім бойынша арыз-талаптарды қабылдаушының өкілі
«РДЦ-Алматы» ЖШС, Алматы қ., Домбровский көш., 3«а», литер Б, офис 1.
Тел.: 8 (727) 251-59-89, 90, 91, 92, факс: 8 (727) 251-58-12 вн. 107; E-mail: RDC-Almaty@eksmo.kz
Өнімнің жарамдылық мерзімі шектелмеген

Өндірген мемлекет: Ресей. Сертификация қарастырылған

Отпечатано в филиале «Смоленский полиграфический комбинат»
ОАО «Издательство «Высшая школа». 214020, Смоленск, ул. Смольянинова, 1
Тел.: +7 (4812) 31-11-96. Факс: +7 (4812) 31-31-70
E-mail: spk@smolpk.ru http://www.smolpk.ru

Успенский, Эдуард Николаевич.

У77   Сказки про Чебурашку и крокодила Гену / Э. Успенский. — Москва : Издательство АСТ, 2017. — 93, [3] с.: ил. — (Читаю сам по слогам).

ISBN 978-5-17-094358-6.

«Сказки про Чебурашку и крокодила Гену» Э. Успенского — это прекрасный подарок детям, которые только учатся читать. Ведь в книге большие буквы, все слова разбиты на слоги с ударениями и яркие, крупные иллюстрации на каждой странице! Маленькие сказки про неизвестного науке зверька и его зелёного друга крокодила впервые выходят по слогам — теперь Чебурашка с Геной сами учат читать малышей! А они уж точно знают подход к малышам, с ними любое дело станет интересным. Теперь обучение чтению будет не только нужным, но и весёлым занятием.
Для дошкольного возраста.

УДК 372.3./4
ББК 74.102